Die gro
Song-Collection
für alle Keyboards

Nationalhymnen

28 neue Arrangements

Bearbeitung: Steve Boarder

ED 7386
ISMN M-001-07732-3

Mainz · London · Madrid · New York · Paris · Prag · Tokyo · Toronto

www.schott-music.com

Inhalt

Bestell-Nr.: ED 7386
ISMN M-001-07732-3

© 2003 Schott Musik International, Mainz
Coverfoto: Bildagentur Huber/Radelt
Printed in Germany · BSS 45886
www.schott-music.com

Belgien

SOUNDVORSCHLAG UND SPIELTIPPS

Rhythmusgerät: On	Tempo: ♩ ca. 100
Begleitrhythmus: March	
Effekte:	
Registrierung: Brass	

MEINE REGISTRIERUNG

Rhythmusgerät:	Tempo:
Begleitrhythmus:	
Effekte:	
Registrierung:	

• Beachte: Auftakt, Fingersatz

Melodie: François van Campenhout
franz. Text: Charles Rogier
flämischer Text: R. Herreman

No - ble Bel - gi - que à ja - mais ter - re ché - rie,_____ à toi nos coeurs,___ à toi nos
U bren - gen wij on - ze liefde en ons ver - trou - en, o dier - baar volk,_____ o dier - baar

bras. _____ Par le sang pur ré - pan - du pour toi, Pa - trie,_____ nous le ju -
land. _____ De vaad - rentrouw, zul - len wij de toe - komst bou - wen, in vreugd' en

rons d'un seul cri, tu vi - vras!_____ Tu vi - vras,___ tou - jours grande et bel - le, et
nood is ons hart U ver pand._____ Groei en bloei_ tot heil der ge slach - ten. Wij

ton in - vin - ci - ble u - ni - té_____ au - ra pour de - vise im - mor
rei - ken el - kaar de broe - der - hand_____ en wij - den de vro - me ge-

tel - le, le Roi,___ la Loi, la Li - ber - té._____ Au -
dach - ten aan Vrij - heid, Vorst en Va - der - land._____ En

ra pour de - vise_ im - mor - tel - le, le Roi,___ la Loi, la Li - ber - té._____ Le
wij - den de vro - me ge - dach - ten aan Vrij - heid, Vorst en Va - der land._____ Aan

Roi,___ la Loi, la Li - ber - té._____ Le Roi,___ la Loi, la Li - ber - té.
Vrij - heid, Vorst en Va - der - land._____ Aan Vrij - heid, Vorst en Va - der- land.

© 2003 Schott Musik International, Mainz

Norwegen

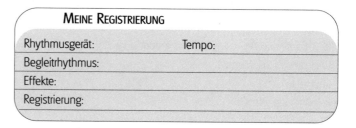

SOUNDVORSCHLAG UND SPIELTIPPS	
Rhythmusgerät: On	Tempo: ♩ ca. 105
Begleitrhythmus: March	
Effekte:	
Registrierung: Strings	

MEINE REGISTRIERUNG	
Rhythmusgerät:	Tempo:
Begleitrhythmus:	
Effekte:	
Registrierung:	

• Beachte: rasche Akkordwechsel gesondert üben

Text Bjørnstjerne Bjørnsen
Melodie: Rikard Nordraak

Moderato

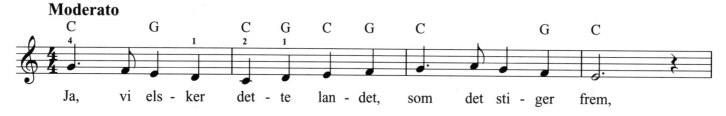

Ja, vi els - ker det - te lan - det, som det sti - ger frem,

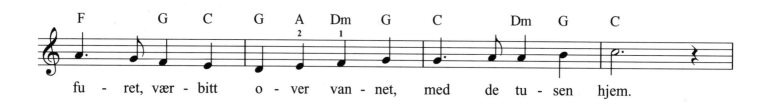

fu - ret, vær - bitt o - ver van - net, med de tu - sen hjem.

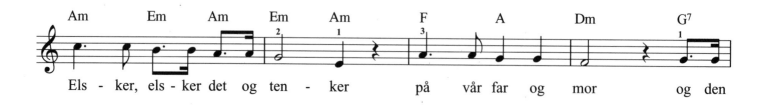

Els - ker, els - ker det og ten - ker på vår far og mor og den

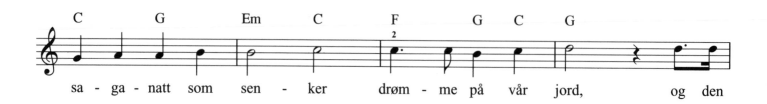

sa - ga - natt som sen - ker drøm - me på vår jord, og den

sa - ga - natt som sen - ker, sen - ker drøm - me på vår jord.

Tschechien

• Beachte: Begleitung beginnt vor Einsetzen der Melodie, Versetzungszeichen

Text: Josek Kajetán Tyl
Melodie: František Škroup

Andante con moto

Kde do - mov můj? Kde do - mov můj? Vo - da hu - čí po lu -

čí - nách, bo - ry šu - mí po ska - li - nách, v sa - dě

skví se ja - ra květ, zem - sky ráj to na po - hled! A to

je ta krá - sná ze - mě, ze - mě če - ská do - mov

můj, ze - mě če - ská do - mov můj!

Finnland

SOUNDVORSCHLAG UND SPIELTIPPS		MEINE REGISTRIERUNG	
Rhythmusgerät: On	Tempo: ♩ ca. 80	Rhythmusgerät:	Tempo:
Begleitrhythmus: Slow Waltz		Begleitrhythmus:	
Effekte:		Effekte:	
Registrierung: Brass		Registrierung:	

• Beachte: Auftakt, Wiederholungszeichen, |1. | und |2. |

Text: Johan Ludvig Runeberg / Paaovo Kajander
Melodie: Fredrik Pacius

Andante maestoso

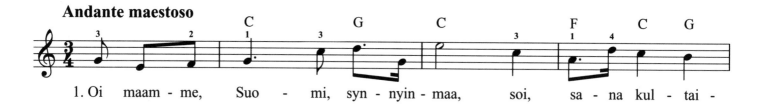

1. Oi maam - me, Suo - mi, syn - nyin - maa, soi, sa - na kul - tai -

nen! Ei laak - so - a, ___ ei ___ kuk - ku - laa, ei

vet - tä, ran ___ taa ___ kak - kaam - paa kuin ko - ti - maa tää poh - joi -

nen, maa kal - lis i - si - en. Ei en.

Australien

SOUNDVORSCHLAG UND SPIELTIPPS	
Rhythmusgerät: On	Tempo: ♩ ca. 100
Begleitrhythmus: March	
Effekte:	
Registrierung: Brass	

MEINE REGISTRIERUNG	
Rhythmusgerät:	Tempo:
Begleitrhythmus:	
Effekte:	
Registrierung:	

• Beachte: Fingersatz, Akkordsymbole in (Klammern) sind für das Spiel mit Fingered Chord und können von fortgeschrittenen Spielern eingesetzt werden.

„Amicus" Peter Dodds McCormick

Maestoso

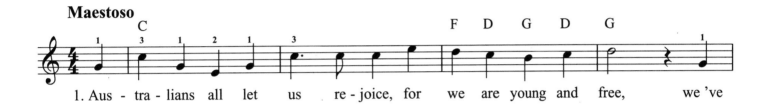

1. Aus - tra - lians all let us re - joice, for we are young and free, we 've

gold - en soil and wealth for toil, our home is girt by sea. Our

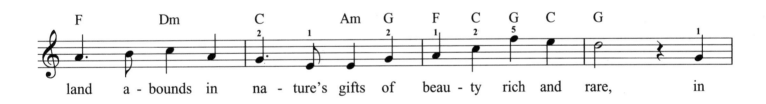

land a - bounds in na - ture's gifts of beau - ty rich and rare, in

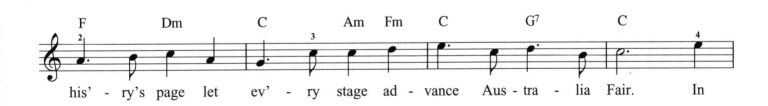

his' - ry's page let ev' - ry stage ad - vance Aus - tra - lia Fair. In

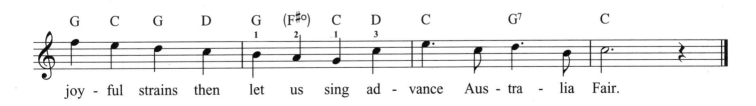

joy - ful strains then let us sing ad - vance Aus - tra - lia Fair.

Brasilien

• Beachte: Tonart F-Dur, h wird b, Versetzungszeichen

Text: Osório Duque Estrada
Musik: Manoel da Silva

Allegro maestoso

Ou - vi - ram do I - pi - ran - ga as mar - gens plá - ci - das de um

po vo he - rói - co o bra - do re - tum - ban - te, e o sol da li - ber - da - de em - ra - ios

fúl - gi - dos, bri - lhou no céu da Pá - tria nes - se in stan - te. Se o

pe - nhor des - sa i - gual - da - de con - se - gui - mos con - quis - tar com bra - ço

for - te, em teu sei - o, ó li - ber - da - de, de - sa - fi - a o nos - so pei - to a pró - pria

Irland

• Beachte: Tonart B♭-Dur, h wird b, e wird es, Fingersatz

Irischer Text: Liam O'Rinn
Englischer Text: Pedar O'Cearney
Musik: Pedar O'Cearney / Patrick Heaney

Tempo di marcia

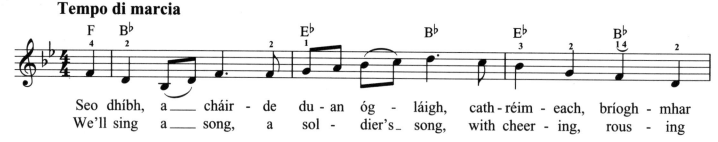

Seo dhíbh, a ___ cháir - de du - an óg - láigh, cath - réim - each, bríogh - mhar

We'll sing a ___ song, a sol - dier's ___ song, with cheer - ing, rous - ing

ceól - mhar, ár dtein - te ___ cnámh go bu - a - cach ___ táid, 's an

cho - rus, as round our ___ blaz - ing fires ___ we ___ throng, the

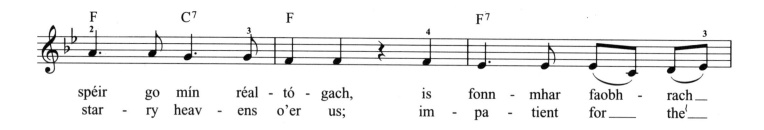

spéir go mín réal - tó - gach, is fonn - mhar faobh - rach ___

star - ry heav - ens o'er us; im - pa - tient for ___ the ___

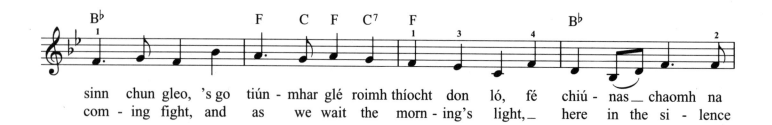

sinn chun gleo, 's go tiún - mhar glé roimh thíocht don ló, fé chiú - nas ___ chaomh na

com - ing fight, and as we wait the morn - ing's light, ___ here in the si - lence

Ungarn

SOUNDVORSCHLAG UND SPIELTIPPS

Rhythmusgerät: Off	Tempo: ♩ ca. 80
Begleitrhythmus:	
Effekte:	
Registrierung: Strings	

MEINE REGISTRIERUNG

Rhythmusgerät:	Tempo:
Begleitrhythmus:	
Effekte:	
Registrierung:	

• Beachte: Fingersatz, schnelle Akkordwechsel gesondert üben

Text: Ferenc Kölksey
Musik: Ferenc Erkel

Andante maestoso

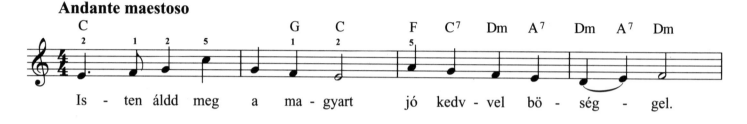

Is - ten áldd meg a ma - gyart jó kedv - vel bö - ség - gel.

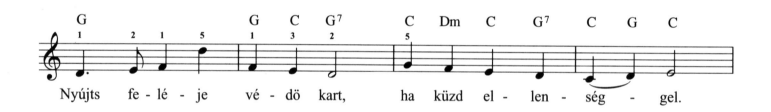

Nyújts fe - lé - je vé - dö kart, ha küzd el - len - ség - gel.

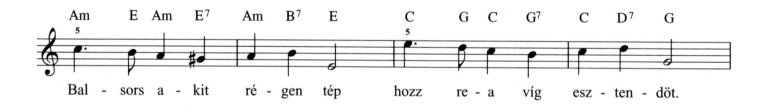

Bal - sors a - kit ré - gen tép hozz re - a víg esz - ten - döt.

Meg - bün - höd - te már e nép a múl - tat sjö - ven - döt.

Kanada

• Beachte: Tonart Eb-Dur, h wird b, e wird es, a wird as, Fingersatz

Französischer Text: Adolphe B. Routhier
Englischer Text: Robert Stanley Weir
Musik: Calixa Lavallée

Deutschland

SOUNDVORSCHLAG UND SPIELTIPPS

Rhythmusgerät: Off	Tempo: ♩ ca. 85
Begleitrhythmus:	
Effekte: Sustain	
Registrierung: Strings	

MEINE REGISTRIERUNG

Rhythmusgerät:	Tempo:
Begleitrhythmus:	
Effekte:	
Registrierung:	

• Beachte: f wird zu fis, c wird zu cis, Fingeruntersatz/Fingerübersatz, Wiederholungszeichen, ⌐1.¬ und ⌐2.¬

Text: Heinrich Hoffmann von Fallersleben

Melodie: Joseph Haydn

Maestoso

Ei - nig - keit und Recht und Frei - heit für das deut - sche
Da - nach lasst uns al - le stre - ben brü - der - lich mit

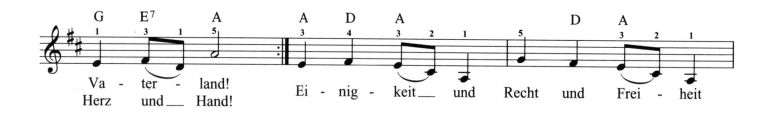

Va - ter - land! Ei - nig - keit__ und Recht und Frei - heit
Herz und__ Hand!

sind des Glü - ckes Un - ter - pfand. Blüh im Glan - ze

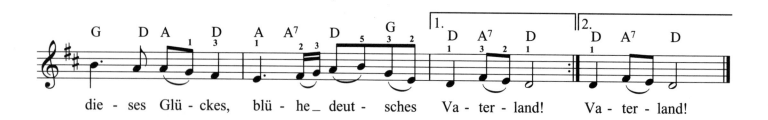

die - ses Glü - ckes, blü - he__ deut - sches Va - ter - land! Va - ter - land!

Österreich

• Beachte: Fingerübersatz, Tonart Eb-Dur

Text: Paula von Preradović
Musik: Wolfgang Amadeus Mozart

Moderato

1. Land der Ber - ge, _ Land am Stro - me, Land der Ä - cker, _ Land der Do - me. Land der Häm - mer, zu - kunfts - reich! Hei - mat bist _ du gro - ßer _ Söh - ne, Volk, be - gna - det für das _ Schö - ne, viel - ge - rühm - tes Ös - ter - reich, viel - ge - rühm - tes _ Ös - ter - reich.

2. Heiß umfehdet, wild umstritten,
Liegst dem Erdteil du inmitten
Einem starken Herzen gleich.
Hast seit frühen Ahnentagen
Hoher Sendung Last getragen,
Vielgeprüftes Österreich!

3. Mutig in die neuen Zeiten,
Frei und gläubig sieh uns schreiten
Arbeitsfroh und hoffnungsreich.
Einig lass in Brüderchören,
Vaterland, dir Treue schwören,
Vielgeliebtes Österreich!

Schweiz

SOUNDVORSCHLAG UND SPIELTIPPS		MEINE REGISTRIERUNG	
Rhythmusgerät: Off	Tempo: ♩ ca. 100	Rhythmusgerät:	Tempo:
Begleitrhythmus:		Begleitrhythmus:	
Effekte: Sustain		Effekte:	
Registrierung: Trumpet		Registrierung:	

• Beachte: Auftakt, h wird zu b, e wird zu es

Text: Leonhard Widmer
Melodie: Albert Zwyssig

Medium

Trittst im Mor - gen - rot da - her, seh' ich dich im Strah - len - meer, dich, du Hoch - er -
ha - be - ner, Herr - li - cher! Wenn der Al - pen Firn___ sich___
rö - tet, be - tet, frei - e Schwei - zer, be - tet!
Eu - re from - me See - le ahnt, eu - re from - me See - le ahnt, Gott im heh - ren
Va - ter - land,___ Gott, den Herrn, im heh - ren___ Va - ter - land!

(Französisch)

Sur nos monts, quand le soleil
Annonce un brillant réveil
Et prédit d'un plus beau jour le retour
Les beautés de la patrie
Parlent à l'âme attendrie;
Au ciel montent plus joyeux
Les accentsd'un cœur pieux,
Les accents émus d'un cœur pieux.

(Italienisch)

Quando bionda aurora
Il mattin c'indora
L'alma mia t'adora
Re del Ciel.
Quando l'alpe già rosseggia
A pregare allor t'atteggia,
In favor dekl patrio suol,
Cittando Iddio lo vuol,
Cittando Dio, si Dio lo vuol.

(Ladinisch)

In l'aurora la daman
At cugnuoscha bain l'uman
Spiert etern dominatur
Tuot pussant!
Cur ils munts straglüschan sura,
Ura, liber Svizzer ura.
Tia orma sainta ferm
Dieu in tschêl, il bap etern.
Dieu in tschêl, il bap, il bap etern.

16

Frankreich

SOUNDVORSCHLAG UND SPIELTIPPS

Rhythmusgerät: On	Tempo: ♩ ca. 80
Begleitrhythmus: March	
Effekte:	
Registrierung: Trumpet	

MEINE REGISTRIERUNG

Rhythmusgerät:	Tempo:
Begleitrhythmus:	
Effekte:	
Registrierung:	

• Beachte: Auftakt (Rhythmusgerät auf Synchro-Start), h wird zu b

Text und Melodie: Claude Joseph Rouget de List

Al - lons, en - fants de la Pa - tri - e! Le jour de gloire est ar - ri -

vé, Con - tre nous de la ty - ran - ni - e l'é - ten - dard sang - lant est le -

vé, l'é - ten - dard - sang - lant est le - vé. En - ten - dez vous dans les cam -

- pa - gnes mu - gir ces fé - ro - ces sol - dats? Ils vien - nent jus - que dans nos

bras, e - gor - ger vos fils, vos com - pa - gnes! Aux ar - mes, ci - toy -

en! For - mez vos ba - tail - lons, mar - chons, mar -

chons! Qu'un sang im - pur a breu - ve nos sil - lons!

Luxemburg

SOUNDVORSCHLAG UND SPIELTIPPS

Rhythmusgerät: Off	Tempo: ♩ ca. 80
Begleitrhythmus:	
Effekte:	
Registrierung: Trumpet	

MEINE REGISTRIERUNG

Rhythmusgerät:	Tempo:
Begleitrhythmus:	
Effekte:	
Registrierung:	

• Beachte: Auftakt, Fingeruntersatz/Fingerübersatz

Text: Michael Lenz
Melodie: J. A. Zinnen

Wo d'Uel - zecht du - rech d'Wi - sen zet, durch d'Fiel - zen d'Sau - er brecht, wo'
*) Où l'Our ar - ro - se champs et prés, où la dou - ce Mo - sel - le bai -

d'Rief lanscht d'Mu - sel dof - teg blet, den Him - mel Wein ons mecht: Dat
gne le roc aux flancs do - rés, où le vin é - tin - cel - le: C'est

ass onst Land fir dat mer gef hei - nid - den al - les won, onst
le pa - ys au sang lo - yal, mon â me en est rem - plie. C'est

He - mechts - land dat mir so def an on - sen Hier - zer dron. Onst
mon fo - yer, mon sol na - tal, c'est ma chè - re pa - trie. C'est

He - mechts - land dat mir so def an on - sen Hier - zer dron.
mon fo - yer, mon sol na - tal, c'est ma chè - re pa - trie.

*) obere Textzeile Letzeburgisch, untere Textzeile Französisch

Niederlande

• Beachte: f wird zu fis, Taktwechsel, schnelle Akkordwechsel, Bm ist die internationale Schreibweise für (deutsch) Hm (= H-Moll)

Text: Philip van Marnix
Melodie: Valerius von Veere

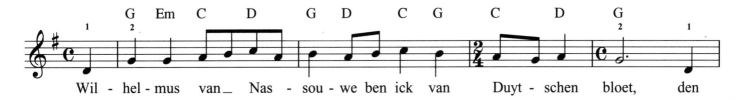

Wil - hel - mus van＿ Nas - sou - we ben ick van   Duyt - schen   bloet,   den

Va - der - lant＿ ghe - trou - we blijf ick tot   in＿ den   doet;   een＿

Prin - ce van   O - raeng - ien been ick   vrij   o - ver - veert,   den

Co - ninck van   His - paeng - ien heb ick al - tyt ghe - eert.

Dänemark (Landeshymne) *)

SOUNDVORSCHLAG UND SPIELTIPPS	
Rhythmusgerät: Off	Tempo: ♩ ca. 80
Begleitrhythmus:	
Effekte:	
Registrierung: Flute	

MEINE REGISTRIERUNG	
Rhythmusgerät:	Tempo:
Begleitrhythmus:	
Effekte:	
Registrierung:	

• Beachte: Auftakt, Fingeruntersatz, Wiederholungszeichen, Akkorde in (Klammern) können von fortgeschrittenen Spielern eingesetzt werden

Text: Johann Ewald
Melodie: unbekannt

Der er et yn - digt land, det står med bre - de bø - ge nær

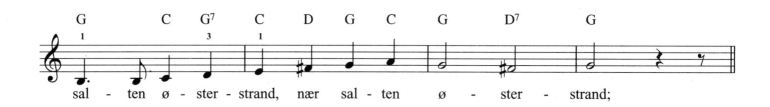

sal - ten ø - ster - strand, nær sal - ten ø - ster - strand;

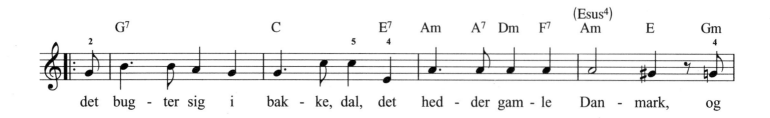

det bug - ter sig i bak - ke, dal, det hed - der gam - le Dan - mark, og

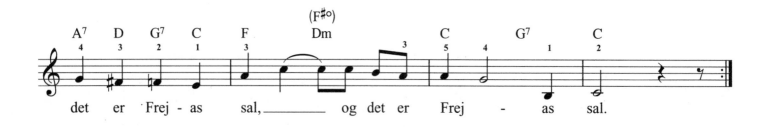

det er Frej - as sal,_____ og det er Frej - as sal.

*) Neben der Landeshymne hat Dänemark noch eine Königshymne

Schweden

SOUNDVORSCHLAG UND SPIELTIPPS

Rhythmusgerät: Off	Tempo: ♩ ca. 100
Begleitrhythmus:	
Effekte:	
Registrierung: Strings	

MEINE REGISTRIERUNG

Rhythmusgerät:	Tempo:
Begleitrhythmus:	
Effekte:	
Registrierung:	

• Beachte: f wird zu fis, Auftakt

Text: Richard Dybeck
Melodie: Edvin Kallstenius

Du gam - la du fri - a du fjäll - hö - ga Nord, du tys - ta du gläd - je - ri - ka

skö - na. Jag häl - sar dig, vä - nas - te land __ up - på jord, din

sol din him - mel di - na äng - der grö - na, din sol din him - mel di - na äng - der grö - na.

Großbritannien

SOUNDVORSCHLAG UND SPIELTIPPS

Rhythmusgerät: Off	Tempo: ♩ ca. 90
Begleitrhythmus:	
Effekte:	
Registrierung: Organ	

MEINE REGISTRIERUNG

Rhythmusgerät:	Tempo:
Begleitrhythmus:	
Effekte:	
Registrierung:	

• Beachte: Fingerübersatz, Wiederholungszeichen, B⁷ ist die internationale Schreibweise für (deutsch) H⁷

Text und Melodie: anonym

Maestoso

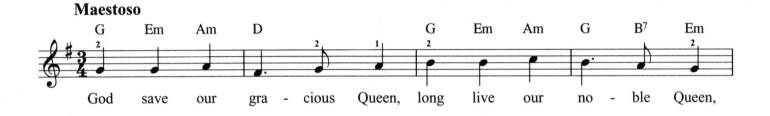

God save our gra - cious Queen, long live our no - ble Queen,

God save the Queen. Send her vic - to - ri - ous, hap - py and

glo - ri - ous, long to ___ reign o - ver us, God ___ save the Queen.

Vereinigte Staaten von Amerika

SOUNDVORSCHLAG UND SPIELTIPPS

Rhythmusgerät: Off	Tempo: ♩ ca. 100
Begleitrhythmus:	
Effekte:	
Registrierung: Organ	

MEINE REGISTRIERUNG

Rhythmusgerät:	Tempo:
Begleitrhythmus:	
Effekte:	
Registrierung:	

• Beachte: h wird zu b, e wird zu es, Fingeruntersatz/Fingerübersatz

Text: Francis Scott Key
Melodie: John Stafford Smith

Polen

SOUNDVORSCHLAG UND SPIELTIPPS	
Rhythmusgerät: On	Tempo: ♩ ca. 75
Begleitrhythmus: Waltz	
Effekte: Schlagzeug ausblenden	
Registrierung: Trumpet	

MEINE REGISTRIERUNG	
Rhythmusgerät:	Tempo:
Begleitrhythmus:	
Effekte:	
Registrierung:	

• Beachte: Wiederholungszeichen

Text: Józef Wybicki
Melodie: Michael Kleofas Ogiński

Jeszc - ze Pol - ska nie zgi - nę - ła, ___ kie - dy my ży - je - my.

Co nam ob - ca prze - moc wzię - ła, ___ szab - lą od - bie - rze - my.

Marsz, marsz, Dą - brow - ski, z zie - mi wło - skiej do Pol - ski!

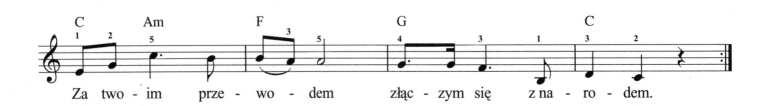

Za two - im prze - wo - dem złą - czym się z na - ro - dem.

Bulgarien

- Beachte: Fingeruntersatz, |1. | und |2.

Text und Melodie: Zvetan Zvetkov Radoslavov

Andante Maestoso

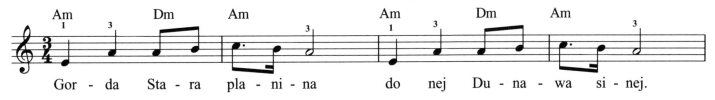

Gor - da Sta - ra pla - ni - na do nej Du - na - wa si - nej.

slan - ze Tra - kija o - grja - wa, nad Pi - ri - na pla - nem - ej. Ro - di - no!

Mi - la Ro - di - no, ti si se - men raj,___ tvoj - ta - bost bost,

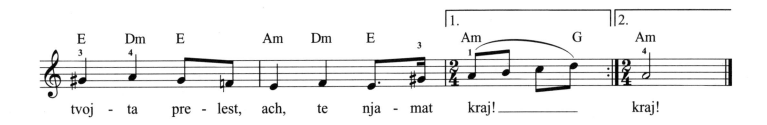

tvoj - ta pre - lest, ach, te nja - mat kraj!_____ kraj!

Israel

• Beachte: h wird zu b, Fingeruntersatz/Fingerübersatz

Text: Naphtali Herz Imber
Melodie: Samuel Cohen

Moderato

Kol_ od ba - le - vav pe - ni - mah ne - fesh ye - hu - di ho - mi - ya, u - le-

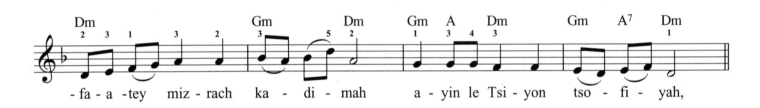

-fa - a - tey miz - rach ka - di - mah a - yin le Tsi - yon tso - fi - yah,

od lo av' dah tik - va - te - nu, ha - tik - vah bat sh'not al - pa - yim,

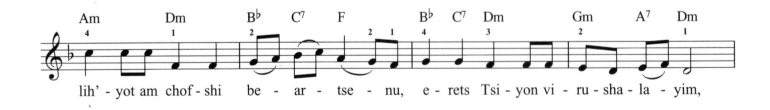

lih' - yot am chof - shi be - ar - tse - nu, e - rets Tsi - yon vi - ru - sha - la - yim,

Lih' yot am chof - shi be - ar - tse - nu, e - rets Tsi - yon vi - ru - sha - la - yim.

Italien

SOUNDVORSCHLAG UND SPIELTIPPS	
Rhythmusgerät: On	Tempo: ♩ ca. 110
Begleitrhythmus: March	
Effekte: Sustain	
Registrierung: Trumpet	

MEINE REGISTRIERUNG	
Rhythmusgerät:	Tempo:
Begleitrhythmus:	
Effekte:	
Registrierung:	

• Beachte: Begleitung beginnt bereits vor dem Einsetzen der Melodie, f wird zu fis, Fingerübersatz, Tonartwechsel

Text: Goffredo Mameli
Melodie: Michele Novaro

Spanien

• Beachte: Fingeruntersatz, Wiederholungszeichen

Text: José Maria Pemány Pemartín
Melodie: unbekannt

Es gibt mehrere Texte,
der hier wiedergegebene ist häufig zu hören.

¡Viva España!
Alzad los frentes, hijos
Del pueblo español
Que quiere resurgir.

Griechenland

Soundvorschlag und Spieltipps

Rhythmusgerät: Off   Tempo: ♩ ca. 80

Begleitrhythmus:

Effekte:

Registrierung: Harpsichord

Meine Registrierung

Rhythmusgerät: Tempo:

Begleitrhythmus:

Effekte:

Registrierung:

• Beachte: Auftakt

Text: Dionysios Solomos
Melodie: Nikolaos Mantzaros

Portugal

Text: Henrique Lopes de Mendonça
Musik: Alfredo Keil

SOUNDVORSCHLAG UND SPIELTIPPS		MEINE REGISTRIERUNG	
Rhythmusgerät: Off	Tempo: ♩ ca. 90	Rhythmusgerät:	Tempo:
Begleitrhythmus:		Begleitrhythmus:	
Effekte:		Effekte:	
Registrierung: Trumpet / Brass		Registrierung:	

• Beachte: Fingersatz, Versetzungszeichen

He - róis do mar, no - bre po - vo, na - ção va - len - te, i - mor - tal le - van - tai ho - je de no - vo o 'splen - dor de Por - tu - gal.

Entr' as bru - mas da me - mó - ria ó Pá - tria, sen - te - se a voz dos teus e - gré - gios a - vós que há - de gui - ar - te à vi - tó - ria. Às ar - mas, às ar - mas sob bre a ter - ra, sob - bre o mar. Às ar - mas, as ar - mas pe - la Pá - tria lu - tar contr' os ca - nhões, mar - char, mar - char.

Japan

SOUNDVORSCHLAG UND SPIELTIPPS	
Rhythmusgerät: Off	Tempo: ♩ ca. 70
Begleitrhythmus:	
Effekte:	
Registrierung: Brass	

MEINE REGISTRIERUNG	
Rhythmusgerät:	Tempo:
Begleitrhythmus:	
Effekte:	
Registrierung:	

• Beachte: Fingeruntersatz, *N.C.* (engl. No Chord), bedeutet: hier keine Akkordbegleitung

Text: unbekannter Autor aus dem 12. Jh.
Melodie: Hayashi Hiromori

Ki - mi ga___ yo___ wa chi - yo ni,___

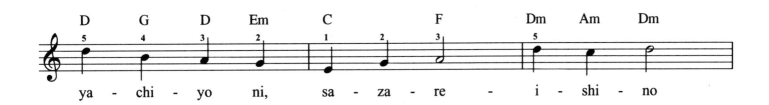

ya - chi - yo ni, sa - za - re - i - shi - no

i - wa - o to na - ri - te, ko - ke no mu - su__ ma - de.

Mexico

SOUNDVORSCHLAG UND SPIELTIPPS	
Rhythmusgerät: On	Tempo: ♩ ca. 80
Begleitrhythmus: March	
Effekte:	
Registrierung: Brass / Strings	

MEINE REGISTRIERUNG	
Rhythmusgerät:	Tempo:
Begleitrhythmus:	
Effekte:	
Registrierung:	

• Beachte: Auftakt (Rhythmusgerät auf Synchro Start), Fingerübersatz, Fingeruntersatz, Akkordsymbole in (Klammern)
  sind für das Spiel mit Fingered Chord und können von fortgeschrittenen Spielern eingesetzt werden.

Text: Francisco González Bocanegra
Melodie: Jaime Nunó

Schott Musik International, Mainz 45 886